Sorry-Schecks

Gutscheine für alle Liebeslagen

Sie halten hier ein ganz besonderes Scheckheft in Händen: ein Scheckheft voller Gutscheine.
Es sind Gutscheine für liebevolle Gaben und Gesten, für kleine Aufmerksamkeiten und gemeinsame Unternehmungen, die alle eines sagen wollen: Ich hab Dich lieb.

Und so geht's: Sie wählen einen Gutschein aus, trennen ihn an der Perforation heraus und übergeben ihn einem lieben Menschen – in einem Blumenstrauß, in einem Kuvert, als Tischkarte oder einfach nur so. Einige Gutscheine tragen keinen Text – hier können Sie selbst einsetzen, was Sie verschenken möchten. Falls Sie mehrere Menschen mit Sorry-Schecks beschenken, können Sie auf Ihrem Belegabschnitt festhalten, an wen Sie welchen Gutschein ausgegeben haben.

Sorry-Scheck für *ein Glas Wein bei Kerzenschein.*

Ausgegeben am: *an:*

Es tut mir so leid. Kann ich es mit einem Glas Wein bei Kerzenschein wieder gut machen?

von:

für:

21080006063-01

Ausgegeben am:

an:

Es tut mir so leid. Kann ich es mit dem neuesten Buch von Deinem Lieblingsautor wieder gut machen?

von:

für:

21080006063-02

Sorry-Scheck für *einen Ausflug ins Grüne.*

Ausgegeben am: *an:*

Es tut mir so leid.
Kann ich es mit einem Ausflug ins Grüne wieder gut machen?

von:

für:

2108000[illegible]-03

Sorry-Scheck für *einen Sonntag ohne Telefon.*

Ausgegeben am:

an:

Es tut mir so leid. Kann ich es mit einem Sonntag ohne Telefon wieder gut machen?

von:

für:

21080006063-04

Sorry-Scheck für *ein Frühstück im Bett.*

Ausgegeben am:

an:

Es tut mir so leid. Kann ich es mit einem Frühstück im Bett wieder gut machen?

von:

für:

21080006063-05

Sorry-Scheck für *eine Karte für* ....

Ausgegeben am:

an:

Es tut mir so leid.
Kann ich es mit einer Karte für wieder gut machen?

von:

für:

21080006063-06

Sorry-Scheck für *einen freien Tag für Dich.*

Ausgegeben am: *an:*

Es tut mir so leid. Kann ich es mit einem freien Tag für Dich wieder gut machen?

von:

für:

Sorry-Scheck für *einen Tag auf dem Land*

Ausgegeben am: *an:*

Es tut mir so leid.
Kann ich es mit einem Tag auf dem Land wieder gut machen?

von:

für:

21080006063-08

Sorry-Scheck für *eine Einladung zum Ball.*

Ausgegeben am:

an:

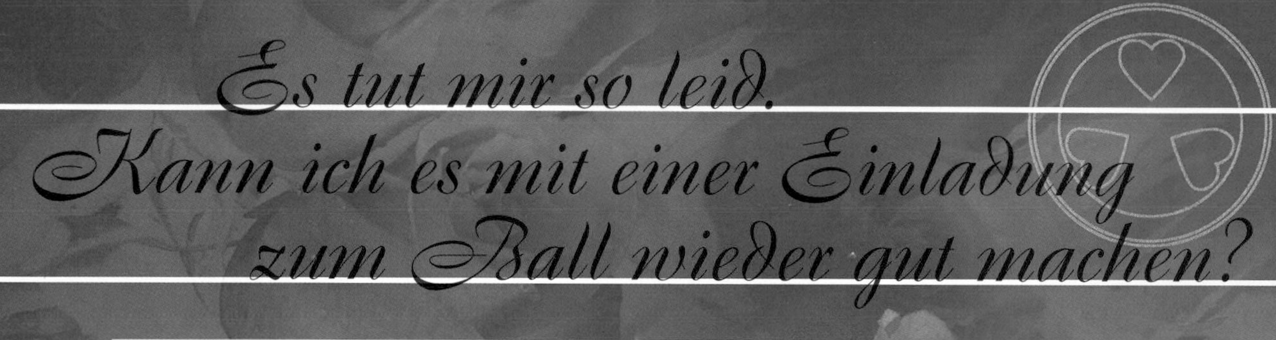

Es tut mir so leid. Kann ich es mit einer Einladung zum Ball wieder gut machen?

von:

für:

210[illegible]00[illegible]6063-09

Sorry-Scheck für *einen Nachtspaziergang im Mondlicht.*

Ausgegeben am: *an:*

Es tut mir so leid.
Kann ich es mit einem Nachtspaziergang
im Mondlicht wieder gut machen?

von:

für:

21080006063-10

Sorry-Scheck für *einem gemeinsamen Einkaufsbummel.*

Ausgegeben am:

an:

Es tut mir so leid. Kann ich es mit einem gemeinsamen Einkaufsbummel wieder gut machen?

von:

für:

91080006063-11

Sorry-Scheck für *einen Besuch im neuesten Sushi-Restaurant.*

Ausgegeben am:

an:

Es tut mir so leid.

Kann ich es mit einem Besuch im neuesten Sushi-Restaurant wieder gut machen?

von:

für:

21080006063-12

Sorry-Scheck für *einen ganzen Tag nur für uns zwei.*

Ausgegeben am:

an:

Es tut mir so leid. Kann ich es mit einem ganzen Tag nur für uns zwei wieder gut machen?

von:

21080006063-13

Sorry-Scheck für *eine Einladung in den Eissalon.*

Ausgegeben am:

an:

Es tut mir so leid.
Kann ich es mit einer Einladung in den Eissalon wieder gut machen?

von:

für:

3108000606063-14

Sorry-Scheck für *einen gemeinsamen Saunabesuch.*

Ausgegeben am:

an:

Es tut mir so leid.
Kann ich es mit einem gemeinsamen Saunabesuch wieder gut machen?

von:

für:

21080006063-15

Es tut mir so leid.
Kann ich es mit einem Besuch auf dem Rummelplatz wieder gut machen?

von:

für:

21080006063-16

Sorry Scheck für einen Besuch auf dem Rummelplatz

Ausgegeben am:

an:

Sorry-Scheck für *ein Glas Punsch.*

Ausgegeben am:

an:

Es tut mir so leid. Kann ich es mit einem Glas Punsch wieder gut machen?

von:

für:

21080006063-17

Sorry-Scheck für *Wein und Käse*

Ausgegeben an:

an:

Es tut mir so leid.
Kann ich es mit Wein und
Käse wieder gut machen?

von:

für:

21080006063-18

Sorry-Scheck für *ein Abendessen Deiner Wahl.*

Ausgegeben am:

an:

Es tut mir so leid. Kann ich es mit einem Abendessen Deiner Wahl wieder gut machen?

von:

für:

21080006063-19

Sorry-Scheck für *eine Einladung zum Brunch.*

Ausgegeben am: *an:*

Es tut mir so leid. Kann ich es mit einer Einladung zum Brunch wieder gut machen?

von:

für:

80006063-20

Es tut mir so leid.

Kann ich es mit einem Besuch in der Ausstellung

wieder gut machen?

von:

für:

21080006063-21

Sorry-Scheck für *einen Besuch in der Ausstellung*

Ausgegeben am: *an:*

Sorry-Scheck für *die neueste CD von* ....

Ausgegeben am: *an:*

Es tut mir so leid.

Kann ich es mit der neuesten CD von

____________ wieder gut machen?

von:

für:

21080006063-22

Sorry-Scheck für *eine Karte für den Zoo*

Ausgegeben am: *an:*

Es tut mir so leid. Kann ich es mit einer Karte für den Zoo wieder gut machen?

von:

für:

21080006063-23

Sorry-Scheck für *ein Picknick im Park.*

Ausgegeben am:

an:

Es tut mir so leid. Kann ich es mit einem Picknick im Park wieder gut machen?

von:

für:

21080006063-24

Sorry-Scheck für *eine Fahrt mit einer Dampflok.*

Ausgegeben am:

an:

Es tut mir so leid. Kann ich es mit einer Fahrt mit einer Dampflok wieder gut machen?

von:

für:

21080006063-25

Sorry-Scheck für eine große Schachtel Pralinés.

Ausgegeben am:

an:

Es tut mir so leid.
Kann ich es mit einer großen
Schachtel Pralinés wieder gut machen?

von:

für:

5063-26

Es tut mir so leid.
Kann ich es mit frischem
Butterkuchen wieder gut machen?

von:

für:

21080006063-27

Sorry-Scheck für *frischen Butterkuchen.*

Ausgegeben am:

an:

Sorry-Scheck für *eine Packung CD-Rohlinge.*

Ausgegeben am: *an:*

Sorry-Scheck für *einen ganzen Tag voller Zärtlichkeit.*

Ausgegeben am:

an:

Es tut mir so leid.
Kann ich es mit einem ganzen Tag voller Zärtlichkeit wieder gut machen?

von:

für:

21080006063-29

Sorry-Scheck für das Wegräumen des Laubs aus dem Garten

Ausgegeben an:

an:

Es tut mir so leid.

Kann ich es mit dem Wegräumen des Laubs aus dem Garten wieder gut machen?

von:

für:

21080006063-30

Sorry-Scheck für *ein Wochenende in einem Wellness-Hotel.*

Ausgegeben am: *an:*

Es tut mir so leid.

Kann ich es mit einem Wochenende in einem Wellness-Hotel wieder gut machen?

von:

für:

2108000606[illegible]-31

Sorry-Scheck für *ein Sektfrühstück.*

Ausgegeben am:

an:

Es tut mir so leid. Kann ich es mit einem Sektfrühstück wieder gut machen?

von:

für:

2108000606 3-32

Sorry-Scheck für *einen Besuch in einer Konditorei.*

Ausgegeben am:

an:

Es tut mir so leid.
Kann ich es mit einem Besuch in
einer Konditorei wieder gut machen?

von:

für:

21080006063-53

Sorry-Scheck für *eine Fahrt im Ruderboot.*

Ausgegeben am:

an:

Es tut mir so leid. Kann ich es mit einer Fahrt im Ruderboot wieder gut machen?

von:

für:

21080006063-34

Ausgegeben am:

an:

Es tut mir so leid. Kann ich es mit einem Fahrradausflug wieder gut machen?

von:

für:

21080006063-55

Sorry-Scheck für *ein Fläschchen Duftöl.*

Ausgegeben am: *an:*

Es tut mir so leid. Kann ich es mit einem Fläschchen Duftöl wieder gut machen?

von:

für:

21080006063-36

Sorry-Scheck für *eine Portion Zuckerwatte.*

Ausgegeben am: *an:*

Es tut mir so leid. Kann ich es mit einer Portion Zuckerwatte wieder gut machen?

von:

für:

21080006063-37

Sorry-Scheck für *eine Karussellfahrt.*

Ausgegeben am: *an:*

Es tut mir so leid. Kann ich es mit einer Karussellfahrt wieder gut machen?

Sorry-Scheck für *einen Spaziergang im Nebel.*

Ausgegeben am:

an:

Es tut mir so leid. Kann ich es mit einem Spaziergang im Nebel wieder gut machen?

von:

für:

21080006063-39

Sorry-Scheck für *eine Einladung zum Bungeejumping.*

Ausgegeben am: *an:*

Es tut mir so leid.
Kann ich es mit einer Einladung zum Bungeejumping wieder gut machen?

von:

für:

21080006063-40

Sorry-Scheck für *einen Luxuseinkauf im Wert von* ....

Ausgegeben am:

an:

Es tut mir so leid.

Kann ich es mit einem Luxuseinkauf im Wert von ______________ wieder gut machen?

von:

für:

21080006063-41

Sorry-Scheck für *einen Barbesuch.*

Ausgegeben am:

an:

Es tut mir so leid.
Kann ich es mit einem Barbesuch wieder gut machen?

von:

für:

21080006063-42

Es tut mir so leid.
Kann ich es mit einem Spaziergang am See wieder gut machen?

von:

für:

Sorry-Scheck für *einen Spaziergang am See.*

Ausgegeben am: *an:*

21080006063-43

Sorry-Scheck für *Hilfe beim Hausputz.*

Ausgegeben am:

an:

Es tut mir so leid. Kann ich es mit Hilfe beim Hausputz wieder gut machen?

von:

für:

2108[illegible]06063-44

Sorry-Scheck für ....

ausgegeben am: *an:*

Es tut mir so leid.

Kann ich es mit ______________ wieder gut machen?

von:

für:

21080006063-45

Sorry-Scheck für ....

Ausgegeben am: *an:*

Es tut mir so leid.
Kann ich es mit ____________________
wieder gut machen?

von:

für:

21080006063-46

Sorry-Scheck für *das nächste Gutschein-Heft.*

Ausgegeben am:

an:

Sorry-Scheck für das nächste Gutschein-Heft

von:

für:

21080006063-47